Savais-tu

Les Araignées

Savais-tu?

Les Araignées

Alain M. Bergeron
Michel Quintin
Sampar

Illustrations de Sampar

ÉDITIONS
MICHEL
QUINTIN

Données de catalogage avant publication (Canada)

Bergeron, Alain M., 1957-

Les araignées

(Savais-tu? ; 4)
Pour enfants de 7 ans et plus.

ISBN 2-89435-189-5

1. Araignées - Ouvrages pour la jeunesse.   2. Araignées Ouvrages illustrés. I. Quintin, Michel, 1953-   . II. Sampar. III. Titre. IV. Collection.

QL458.4.B47 2001   j595.4'4   C2001-941417-X

Révision linguistique : Maurice Poirier

Le Conseil des Arts du Canada
The Canada Council for the Arts

SODEC
Québec

Patrimoine canadien   Canadian Heritage

La publication de cet ouvrage a été réalisée grâce au soutien financier du Conseil des Arts du Canada et de la SODEC. De plus, les Éditions Michel Quintin bénéficient de l'aide financière du gouvernement du Canada par l'entremise du Programme d'aide au développement de l'industrie de l'édition (PADIÉ) pour leurs activités d'édition.

ISBN 2-89435-189-5
ISBN 978-2-89435-189-5

Dépôt légal - Bibliothèque nationale du Québec, 2001
Dépôt légal - Bibliothèque nationale du Canada, 2001

© Copyright 2001

Éditions Michel Quintin
C.P. 340, Waterloo (Québec)
Canada J0E 2N0
Tél.:   450-539-3774
Téléc.: 450-539-4905
www.editionsmichelquintin.ca

06-STRO-2

Imprimé au Canada

Savais-tu qu'on connaît environ 35 000 espèces d'araignées? De plus, les scientifiques croient qu'il y aurait encore des milliers d'autres espèces à découvrir.

Savais-tu que cet animal à 8 pattes n'est pas un insecte? Répandu dans le monde entier, on le retrouve sous tous les climats et dans tous les milieux, même dans l'eau.

Savais-tu que l'argyronète est une araignée aquatique?
Pour pouvoir vivre sous l'eau, elle doit se construire
une cloche qu'elle remplit d'air.

Savais-tu que la majorité des araignées mesurent moins de 1 centimètre? La plus grosse, une mygale, mesure 9 centimètres de long.

Savais-tu que chez la majorité des espèces, la femelle est plus grande et plus puissante que le mâle? Son poids peut atteindre jusqu'à 100 fois celui du mâle.

Savais-tu que même si la plupart des araignées ont 8 yeux, plusieurs d'entre elles ne voient presque rien? Elles n'entendent rien et ne sentent rien non plus.

Ce sont les poils qui recouvrent entièrement leur corps qui remplacent ces fonctions.

Savais-tu que certains poils permettent à l'araignée de détecter les vibrations sur sa toile? D'autres poils agissent un peu comme l'ouïe : c'est grâce à ceux-ci qu'elle peut percevoir les vibrations de l'air causées par les ailes d'une mouche en vol.

19

Savais-tu que les araignées sont toutes carnivores et qu'elles se nourrissent principalement d'insectes?

Elles sont d'ailleurs les plus grandes prédatrices d'insectes à travers le monde.

Savais-tu que le menu des araignées varie selon l'espèce? Certaines espèces peuvent manger d'autres

araignées, des crustacés, des petits poissons, des
rainettes ou même des petits oiseaux.

Savais-tu qu'il y a deux groupes d'araignées? Les araignées qui chassent en utilisant leur toile comme piège et les autres qui chassent sans toile. Celles qui

chassent sans toile s'embusquent et attendent leur proie ou encore s'approchent doucement d'elle pour finalement bondir dessus.

Savais-tu que les araignées sauteuses peuvent bondir sur une proie située à une distance allant jusqu'à 50 fois la longueur de leur corps? Leurs sauts sont d'une extrême précision.

Savais-tu que l'araignée cracheuse immobilise d'abord sa proie en lui projetant un jet de glu? Elle lui injecte ensuite son venin.

Savais-tu que les araignées qui chassent avec une toile n'ont d'autres moyens que d'attendre patiemment qu'un insecte se colle à leur piège? Ce sont alors les vibrations de la proie qui se débat qui avertissent et guident l'araignée jusqu'à elle.

Savais-tu que les araignées sont de véritables usines à soie? Elles peuvent fabriquer jusqu'à 7 variétés de

fils, dont des fils secs et des fils imbibés de
matière gluante.

Savais-tu que le fil de soie que fabriquent les araignées demeure d'une qualité infiniment supérieure à toutes

les fibres inventées par l'être humain? Le plus solide
est 60 fois plus résistant que le nylon.

Savais-tu que les fils de soie des araignées ont plusieurs utilités? Elles s'en servent pour tisser leur toile, pour emballer leurs proies, pour se construire un abri, pour se déplacer ou pour emmailloter leurs œufs.

Savais-tu que les araignées qui tissent des toiles
géométriques reconstruisent une nouvelle toile

chaque nuit? La reconstruction prend généralement environ une heure.

Savais-tu qu'avant de reconstruire sa nouvelle toile,
l'araignée mange l'ancienne? Elle récupère ainsi
beaucoup de protéines.

Savais-tu que la forme d'une toile nous indique quelle espèce d'araignée l'a tissée?

Savais-tu que la plupart des araignées possèdent des glandes à venin? Le venin qu'elles injectent par leurs

crochets leur permet de tuer ou d'immobiliser
leurs proies.

Savais-tu qu'une fois sa proie capturée, l'araignée l'emmaillote de fils de soie? Elle lui injecte ensuite

un puissant liquide qui va ramollir l'intérieur de son corps jusqu'à ce qu'il devienne liquide.

Savais-tu que l'araignée n'a pas de dents, ni de bouche? Elle ne peut mastiquer ni broyer sa nourriture. Ce qui lui sert de bouche est un petit

tuyau relié à son estomac par lequel elle aspire sa proie devenue liquide.

Savais-tu que toutes les araignées pondent des œufs?
C'est généralement plus d'une centaine qu'elles
emballent ensemble dans un cocon de soie.

Savais-tu que lors de
l'accouplement, le mâle doit
constamment être sur ses gardes?
En effet, à tout moment, la femelle

risque de le tuer et de le manger. Chez
certaines espèces, c'est pour échapper à la mort
que le mâle offre une mouche en cadeau à la femelle.

Savais-tu que, selon les espèces, certaines femelles abandonnent leurs œufs après la ponte? D'autres hébergent et nourrissent leurs jeunes. Certaines

vont même jusqu'à transporter leurs bébés, agrippés par dizaines sur leur dos.

Savais-tu que, contrairement à nous, l'araignée a un squelette externe? Pour grandir, elle doit donc muer plusieurs fois durant sa vie.

Savais-tu que seulement quelques espèces d'araignées sont dangereuses pour l'homme? La pire de toutes est

une mygale qu'on retrouve en Australie. Son venin est si puissant qu'il peut tuer un adulte en quelques heures.

Savais-tu que les morsures d'araignées sont bien
moins fréquentes et dangereuses que celles des
serpents ou que les piqûres de scorpions? Par contre,

beaucoup plus de gens meurent chaque année de piqûres d'abeilles ou de guêpes.

Savais-tu que la plupart des araignées vivent moins d'une année et que les femelles vivent plus longtemps

que les mâles? Il y a cependant des exceptions, comme certaines mygales qui peuvent vivre jusqu'à 20 ans.